SANTA ANA PUBLIC LIBRARY
D1106460

La Fiesta de Melchor

Carmen L. Rivera- Lassén
Ilustraciones
Juan Álvarez O'Neill

LA EDITORIAL
UNIVERSIDAD DE PUERTO RICO

A don Carmelo Soto,
maestro artesano de Lares
que nos enseñó sobre la tradición
de Melchor, el hermano Rey negro.

Al lector

El cuento de La fiesta de Melchor ocurre en el campo, al comenzar las fiestas de las octavas, que son la celebración de los ocho días después del día de Reyes. Por tradición, las octavas se extienden por más días y los puertorriqueños pueden estar fiestando hasta el miércoles de cenizas, cuando da inicio la Cuaresma. A esta celebración extendida, que sigue a las octavas, se le llama las octavitas.

En este cuento, el niño Carmelo tiene un encuentro con el Rey Melchor. Este encuentro lo pudo haber tenido don Carmelo Soto, uno de los patriarcas de la talla tradicional de santos de Puerto Rico a quien se dedica este libro. El maestro artesano nació en Lares en 1906. De su padre aprendió a trabajar la agricultura, a ser zapatero y carpintero. Desde niño su mayor gusto fue retocar y hacer santos de palo. Hasta su muerte, en el 2004, vivió de tallar Reyes Magos, nacimientos, ángeles y Vírgenes como la Monserrate de Hormigueros y la Milagrosa. Conservó de manera especial la fiesta en honor a Melchor, pues aprendió a considerarlo como su hermano. Fue don Carmelo quien me enseñó que en nuestra tradición, ya pasado el día de Reyes, se celebraba por los campos una fiesta especial en honor del Rey negro.

Las ilustraciones de La fiesta de Melchor rinden homenaje al estilo que hace más de 50 años caracterizó a la División de Educación a la Comunidad del Departamento de Instrucción Pública de Puerto Rico. Artistas como Lorenzo Homar, José A. Torres Martino, José Alicea, Antonio Maldonado y otros, ilustraron folletos que educaron a las comunidades pobres aisladas en los campos y en los arrabales de la ciudad. Así aprendían a mejorar su salud, elevar su nivel educativo y conocer sobre la historia y la cultura puertorriqueña. Las ilustraciones se hacían mayormente en grabados: linóleos, xilografías y serigrafías. Hoy, el ilustrador Juan Álvarez O'Neill, quien fuera estudiante de don Lorenzo Homar, nos transporta a aquellos años en esta historia de Reyes.

Carmen Leonor Rivera-Lassén

Dos días después de la fiesta de la Epifanía del 6 de enero, Gaspar y Baltasar esperaban en la playa, porque Melchor no aparecía.

Estaba perdido
por los campos
de Lares y dormía
bajo un frondoso
palo de pana.

Melchor se había comido un gran plato de sopón en casa del niño Carmelo. Su papá le había dejado el sabroso regalo al hermano Rey negro que venía desde lejos.

Melchor era el Rey que cargaba
la estrella de Belén. La estrella
que alumbraba el camino
cuando recorrían los campos
de Boriquén dejando regalos.

Cada año el recorrido del 5 de enero era más largo. Por eso era mayor la sed y el hambre de los Reyes Magos y de sus caballos.

Los niños les dejaban ricas delicias: pasteles de masa en una casa, un pedacito de lechón con cuerito en la del lado y arroz con gandules en casi todas. De postre majarete, arroz con dulce, tembleque o flan de coco. Siempre había yerba fresca para los caballos.

En todas las casas Melchor comía bastante de todos los platos y, con cada bocado, tomaba maví. Gaspar y Baltasar le advertían que le daría un enorme dolor de barriga.

Esa noche, después de entregar los regalos, los Reyes descansaron debajo de un gran árbol.

Se oía la
música de
una parranda
que celebraba
su visita por
los campos
y con sus
aires Melchor
se quedó
dormido.

Después de tanta sabrosura y con un poco de dolor de barriga, el Mago decidió echar un sueñito más largo.

Como el tiempo de los Santos Reyes y el de los jíbaros corren distintos, la siesta de Melchor se alargó por varios días.

Por dos noches no se vieron las estrellas, ni el brillar de la luna, ni los ojos del múcaro, ni la luz de los cucubanos.

Melchor estaba perdido y con él la estrella de Belén, la que alumbraba la noche cuando los Reyes visitaban el lugar. Había que encontrarlo para comenzar las fiestas de las octavas.

Después de mucho buscar, el niño Carmelo lo encontró camino a la playa, debajo del palo de pana. Una luz, la única que por todo el campo se veía, lo rodeaba. Al sentir los pasos, el Rey se despertó.

Confundido, Melchor
preguntó qué había pasado.
Carmelo no contestó, pues
la luz de la estrella era tan
brillante que lo dejó sin
palabras. El Mago le pidió
a la estrella que regresara
al firmamento y entonces
Carmelo le explicó que por
dos días lo habían buscado.

Había que festejar. ¡Melchor había aparecido el octavo día del año! Los vecinos cantaron aguinaldos, décimas y seis chorreaos.

Desde entonces, cada 8 de enero, en casa de Carmelo y en todo el barrio se celebra una fiesta en honor a Melchor. Ese día se reparten más regalos en su nombre y le hacen rosarios cantados.

Carmelo aprendió a tallar en madera y elaboró una figura del Rey negro.

Con ella iba de casa en casa, cantando desde Navidad hasta las octavas y desde las octavas a las octavitas:

Melchor se quedó en el campo
después de comer sopón
y por dos días durmió
con la estrella bajo un árbol.

Hoy recuerdo a nuestro hermano
con muy santa devoción
y les canto esta canción
con este Santo en la mano.

TÍTULOS PUBLICADOS

Serie Raíces:
Las artesanías
Grano a grano
Los Tres Reyes (a caballo)
La fiesta de Melchor
Verde Navidad

Serie Cantos y juegos:
¡Vamos a jugar!
Pon, pon...¡A jugar con el bebé!

Serie Ilustres:
Pauet quiere un violonchelo

Serie Igualitos:
Así soy yo
Mi silla de ruedas
Soy gordito
Con la otra mano

Los libros de la Colección Nueve Pececitos son lecturas para hacerlas con los familiares, con los maestros en la biblioteca o en el salón de clase, como lectura suplementaria, y para los niños que ya dominan la lectura.

Serie Cantos y Juegos

Elementos de la tradición puertorriqueña resurgen a través de libros de nanas, canciones y juegos infantiles.

Serie Raíces

Las raíces culturales que conforman al puertorriqueño son la base temática de estos textos. Estos libros abren las puertas al mundo de nuestras tradiciones.

Serie Ilustres

Cuentos infantiles basados en la vida y obra de personajes que han tenido una presencia particular en nuestra historia. Hombres y mujeres cuyo legado debe ser conocido por las nuevas generaciones.

Serie Igualitos

Se explora cómo debemos incluir a todos los niños y niñas en las actividades diarias y en el salón de clase, sin importar que luzcan de manera diferente o tengan algún impedimento físico.

Serie Mititos

La fantasía y la realidad parecen fusionarse para presentar los relatos con que nuestros antepasados explicaban los misterios del universo.

Primera edición, 2006

La fiesta de Melchor
ISBN: 0-8477-1563-9

Carmen L. Rivera-Lassén
Ilustraciones: Juan Álvarez O'Neill
Diseño: Víctor Maldonado Dávila
Somos La Pera, Inc.

La Editorial agradece la colaboración
de las maestras y los maestros evaluadores:
Yahaira M. Amézquita Cepeda, Marilyn Lebrón Crespo,
Verónica López Cabán, Margarita Martínez Olmedo,
Manuel Otero Garabís, Evahilda Rodríguez y
Enrique E. Silva Rivera.

Impreso por Imprelibros S.A.
Impreso en Colombia - Printed in Colombia

LA EDITORIAL
UNIVERSIDAD DE PUERTO RICO
Apartado 23322, San Juan, Puerto Rico 00931-3322
www.laeditorialupr.com